《高等院校大学生素质教育系列丛书——动漫卷》

Flash 动画技法与赏析

FLASH DONGHUA JIFA YU SHANGXI

陶晶晶　主编

东南大学出版社
·南京·

内容提要

本书为《高等院校大学生素质教育系列丛书——动漫卷》之一种,主要讲解 Flash 动画制作技法与赏析方法。本书知识点突出、文字简洁,范例均为原创,对提高大学生的 Flash 软件操作与动画制作能力有一定的帮助。该教材具有技能性、应用性、原创性、普及性、欣赏性的特点,可作为高等院校动漫设计、艺术设计、工业设计以及美术教育等专业的专业拓展类课程教材用书和教学辅导用书,也可作为高校公共选修课的教材和艺术素质教育用书,同时也可作为高职高专相关专业及广大美术爱好者的教材和参考读物。

图书在版编目 (CIP) 数据

Flash 动画技法与赏析 / 陶晶晶主编. -- 南京:东南大学出版社,2011.7
　(高等院校大学生素质教育系列丛书. 动漫卷)
　ISBN 978-7-5641-2851-7

Ⅰ. ①F… Ⅱ. ①陶… Ⅲ. ①动画制作软件,Flash-高等学校-教学参考资料 Ⅳ. ①TP391.41

中国版本图书馆 CIP 数据核字(2011)第 113396 号

《高等院校大学生素质教育系列丛书——动漫卷》
Flash 动画技法与赏析

主　编	陶晶晶		
选题总策划	李　玉	特聘外审	孙　菁
责任编辑	李　玉	封面插图	陶晶晶
文字编辑	新　宁	封面设计	顾晓阳
责任印制	张文礼		

出版发行	东南大学出版社
出 版 人	江建中
社　　址	南京市四牌楼 2 号(邮编 210096)
印　　刷	南通印刷总厂有限公司
经　　销	全国各地新华书店经销
开　　本	889mm×1 194mm　1/16
总 印 张	46.25
总 字 数	1228 千字
版　　次	2011 年 7 月第 1 版　2011 年 7 月第 1 次印刷
印　　数	1-3 000 套
书　　号	ISBN 978-7-5641-2851-7
总 定 价	378.00 元(本套丛书/动漫卷共 10 种)

目 录

第一讲　Flash 入门 /1

　　第一节　初识 Flash /1
　　第二节　Flash 的工作环境 /3
　　第三节　Flash 基本操作 /4

第二讲　Flash 绘图技法 /11

　　第一节　工具的使用 /11
　　第二节　元件的使用 /19
　　第三节　文本的使用 /22

第三讲　Flash 动画技法 /24

　　第一节　动画原理 /24
　　第二节　逐帧动画技法 /24
　　第三节　补间动画技法 /25
　　第四节　引导动画技法 /32
　　第五节　遮罩动画技法 /34
　　第六节　综合动画技法 /35

第四讲　Flash 短片制作与欣赏 /40

　　第一节　剧本 /40
　　第二节　角色设定 /40

第三节　　场景设定 /41

第四节　　分镜设计 /41

第五节　　动画制作 /46

第六节　　音效及合成 /47

第七节　　作品的输出 /48

第一讲 Flash入门

第一节 初识 Flash

1.1 什么是 Flash

Flash是一种交互式矢量多媒体技术,它的前身是 Future Splash,是早期网上流行的矢量动画插件,当时 Future Splash 最大的两个用户是 Microsoft 和 Disney。1996年11月 Future Splash 正式卖给 Macromedia 后将其改名为 Flash 1.0。1997—2003年期间,Macromedia 先后推出了 Flash 2.0、Flash 3.0、Flash 4.0、Flash 5.0、Flash MX、Flash MX2004 和 Flash 8.0。2005年 Adobe 并购了 Macromedia,不久以 Adobe 的名义推出 Flash产品,名为 Adobe Flash CS3,最近又推出了 Adobe Creative Suite 4 Master Collection 套装(简称 Adobe CS4)中,含有最新版的 Flash CS4(图1-1)。

Flash是一种交互式动画设计工具,用它可以将音乐、声效、动画以及富有新意的界面融合在一起,以制作出高品质的网页动态效果和动画。

图1-1 Flash

1.2 Flash的特点

1. 矢量图
矢量图形与位图图形不同,它可以任意缩放尺寸而不会影响到图形的质量。
2. 流式播放技术
流式播放技术是动画边播放边下载,缓解网页浏览者焦急等待的情绪。
3. 小文件
Flash通过使用关键帧和图符使生成的动画文件(.swf)非常小,小到几K字节的动画文件已经可以实现许多令人心动的动画效果。同时,用在网页设计上不仅可以使网页更加生动,而且下载迅速,使动画可以在打开网页浪短的时间里就得以播放。

4. 交互性

Flash可以把音乐、动画、音效以交互方式融合在一起,创作出众多令人叹为观止的动画(电影)效果。

5. ACTION SPRICT 3.0

通过ACTION SPRICT 3.0强大的动画编辑功能可以使设计者随心所欲地做出高品质的动画,实现交互性,使作品具有更大的设计自由度。

1.3 Flash的应用

图1-2 二维动画

图1-3 网页广告

图1-4 手机动画

1. 二维动画

由于Flash对矢量图的应用和对视频、音频有着良好支持以及流式播放技术等特点,使其能够在文件容量不大的情况下实现多媒体的播放,使Flash成为二维动画的重要制作工具之一(图1-2)。

2. 网页广告

一般网页广告都有短小精悍、表现力强等特点(图1-3),Flash恰好满足了这些要求,而且制作的作品非常适合在网络环境下的传输,因此在网页广告的制作中得到了广泛的应用。

3. 网络游戏

Flash中的Actions语句可以编制一些游戏程序,再配合以Flash的交互功能,能使用户通过网络进行在线游戏。

4. 多媒体课件

Flash素材的获取方法浪多,可为多媒体教学提供更易操作的平台,目前已经被越来越多的教师和学生所熟识。

5. Flash手机动画、手机游戏

现在的手机动画、游戏有浪多种格式,其中以Flash为标准的Flash Lite最为出色,因为浪多终端都预装了播放器,而且用户已经习惯了桌面Flash,所以手机Flash成为了最具潜力的一个标准(图1-4)。

6. 用户界面

目前许多 Web 站点设计人员使用 Flash 设计用户界面（图1-5）。

7. 灵活消息区域

设计人员使用 Web 页中的这些区域显示可能会不断变化的信息。如餐厅网站上的灵活消息区域（FMA）可能显示每天的特价菜单。

第二节　Flash的工作环境

2.1 Flash的启动

启动Flash只需使用鼠标双击桌面Flash图标即可。

图1-5　Flash网站

2.2 Flash的工作界面

启动后会出现漂亮的欢迎屏幕界面（图1-6）。

打开最近的项目：点击可以打开最近使用的Flash文件。

新建：列出了Flash文件类型，可以选择创建新的Flash文件。

从模板创建：列出了创建新的Flash文档最常用的模板。

扩展：可以链接到Flash软件网络站点，下载Flash的助手应用程序、Flash扩展功能以及相关信息。

点击新建列表，创建一个新的Flash文件，进入Flash工作界面。

如图1-7所示是Flash CS4的基本工作环境。其工作环境大致包括八个部分，以下分别作简要介绍。

A. 菜单栏　B. 工作区切换器　C. HALP搜索栏　D. 选项卡式文档窗口　E. 工作区　F. 时间轴　G. 工具面板　H. 面板组

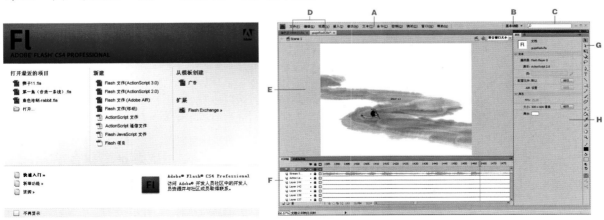

图1-6　Flash开始页面　　　　　　　　　图1-7　Flash界面

1. 菜单栏

Flash 应用程序窗口顶部的菜单栏包含控制Flash功能命令的菜单。这些菜单包括"文件"、"编辑"、"查看"、"视图"、"插入"、"修改"、"文本"、"命令"、"控制"、"窗口"和"帮助",共11个。

2. 工作区切换器

我们可以根据需要,切换成动画、传统、调试、设计人员、开发人员、基本功能等六种不同界面,也可以管理当前界面或者新建一个界面。

3. HELP搜索栏

用于联网搜索的HELP,帮助我们更好地使用Flash。

4. 选项卡式文档窗口

显示正在处理的文件。

5. 工作区

最主要的可编辑区域,用于放置动画的内容,它是对影片中各个对象进行编辑、修改的场所。

6. 时间轴

对动画内容进行组织与控制的工具。时间轴是Flash的一大特点,在传统手绘动画中,通常要绘制作出每一帧的图像,而Flash使用关键帧技术,通过对时间轴上的关键帧的操作,Flash会自动生成运动中的动画帧,从而节省动画制作时间,提高效率。

7. 工具面板

为我们提供大量的绘图和编辑工具,用于创建和编辑图像、元件、页面元素等等。

8. 面板组

监视和修改工作。常用的面板有属性、信息、颜色、对齐、库等等。

2.3 Flash的关闭

需要退出Flash时,只需点击窗口标题上的关闭按钮 ⊠ 即可。注意关闭前要记住将所做的文件保存,以免自己辛勤劳动的成果化为乌有。

第三节　Flash基本操作

3.1 工作区的操作

工作区是Flash文档中放置图形内容的区域,这些图形内容包括矢量图、文本、按钮、导入的位图图形或视频剪辑。

工作区中间的白色矩形区域我们称为舞台,舞台是播放Flash时显示其内容的矩形区域,是Flash输出文件在播放时显示的矩形空间,舞台之外的灰色区域中的对象不会在播放中显示出来。所以在制作动画时需注意,不要把主要动画放置在白色区域以外。

3.1.1 工作区的缩放

如果我们需要查看舞台中的特定区域，可以通过更改缩放比率来实现。Flash中舞台上的最小缩小比率为8%，最大放大比率为2000%（图1-8）。

1. 使用工具面板中的缩放工具，按住Alt键可以切换工具的放大或缩小，点击需要放大（或缩小）的部分就可以放大（或缩小）舞台。我们也可以用缩放工具直接在舞台上拖出一个矩形选取框来放大选取的区域（图1-9）。

2. 使用快捷键Ctrl-/＋，可以按比例缩放舞台（图1-10）。

3. 如果要放大或缩小特定的百分比，使用菜单命令"视图"→"缩放比例"，然后从子菜单中选择需要的百分比。

4. 在工作区的右上方，可以显示当前的缩放比例，也可以直接在显示框中输入数字来放大或缩小舞台。

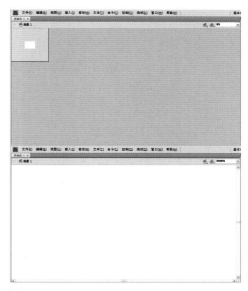

图1-8　8%的工作区和2000%的工作区

3.1.2 工作区的移动

当放大了舞台以后，就可能无法看到整个舞台，这时就需要移动舞台。

我们可以直接使用工具面板中手形工具拖动舞台（图1-11）。

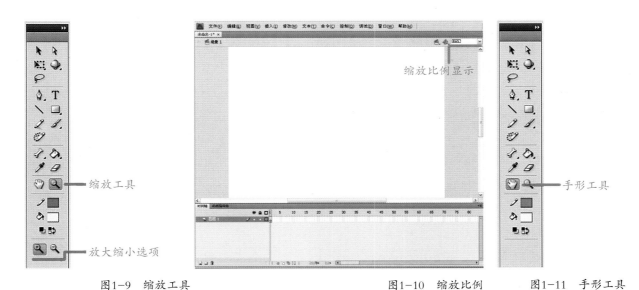

缩放工具

放大缩小选项

缩放比例显示

手形工具

图1-9　缩放工具　　　　　　　图1-10　缩放比例　　　图1-11　手形工具

3.2 时间轴的操作

时间轴是用来组织和控制文档内容在一定时间内播放的图层数和帧数。时间轴的主要组件是图层、帧和播放头。

图层列在时间轴左侧的列中。图层中包含的帧显示在图层名右侧的时间轴行中。时间轴顶部的时间轴标题指示帧的编号。播放头指示当前在舞台中显示的帧。播放Flash文档时，播放头从左向右通过时间轴（图1-12）。

时间轴状态显示在时间轴的底部，指示当前所选的帧编号、当前文档的帧频以及到当前帧为止的运行时间。

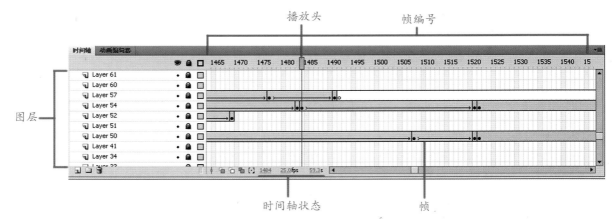

图1-12　时间轴

3.2.1　时间轴外观的更改

根据工作区界面有所不同，时间轴所显示的位置不一样，也有的界面中没有显示时间轴。我们可以任意更改时间轴在软件界面的位置，可以将时间轴放在工作区的顶部或底部或侧边，也可以隐藏时间轴。

3.2.2　播放头的移动

当文档播放时，播放头会在时间轴上移动。如果要在舞台上显示某一帧的内容，只需将播放头移动到该帧的位置即可。

3.2.3　帧的显示（图1-13）

我们可以改变帧的大小、高度及彩色显示。

1."很小"、"小"、"标准"、"中"或"大"，可以更改帧单元格的宽度。

2."较短"，可以减小帧单元格行的高度。

3."彩色显示帧"，可以打开或关闭彩色显示帧。

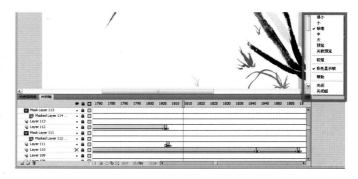

图1-13　帧的显示

4."预览"，可以显示每帧的内容缩略图。

3.3　帧的操作

时间轴上显示的每一个单元格我们称为帧，相当于电影胶片上的每一格镜头。一帧就是一幅静止的画面，连续的帧就能形成动画。

当帧上放置了对象,或是对象的属性有了更改,或者包含AS代码以控制文档的某些方面,我们就将它称为关键帧。关键帧在时间轴上以实心点表示。

如果关键帧上的对象被删除,即该关键帧上没有任何对象的存在,我们就将它称为空白关键帧。空白关键帧在时间轴上以空心点表示(图1-14)。

在时间轴中, 我们可以排列帧和关键帧;可以通过拖动关键帧来修改补间动画的长度;可以选择、插入、移动、复制、粘贴和删除帧或者关键帧;也可以直接将帧和关键帧拖到不同的图层中。

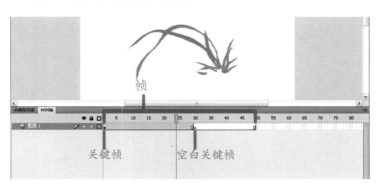

图1-14 帧

3.3.1 插入帧

如果要插入新的帧,可以使用菜单命令 "插入"→"时间轴"→"帧"(图1-15)。或直接使用快捷键F5。

如果要插入新的关键帧,可以使用菜单命令"插入"→"时间轴"→"关键帧"。或者在时间轴上要放置关键帧的位置单击右键,选择"插入关键帧"。或直接使用快捷键F6。

如果要插入新的空白关键帧,可以使用菜单命令"插入"→"时间轴"→"空白关键帧",或者右键单击要在其中放置关键帧的帧,选择"插入空白关键帧",或直接使用快捷键F7。

图1-15 帧的操作

3.3.2 删除或修改关键帧

如果要删除帧,只需在时间轴上选择该帧,单击右键,选择"删除帧"即可删除,而周围的帧将保持不变。

如果要移动关键帧,只需在时间轴上选择该关键帧,直接拖到所需的位置即可。

如果要复制(剪切)和粘贴、关键帧或帧序列,只需在时间轴上选择该帧、关键帧或帧序列,单击右键,选择"复制帧"("剪切帧"),然后在要替换的帧上,单击右键,选择"粘贴帧"即可。

3.4 图层的操作

图层类似于赛璐珞片,在舞台上一层层地向上叠加。使用图层可以帮我们组织文档中的对象。我们可以在一个图层上绘制和编辑对象,而不会影响其他图层上的对象。

当我们创建了一个新的Flash文档之后,它只包含一个图层。我们可以添加更多的图层。创建的图层数只受计算机内存的限制,而且图层不会增加发布的SWF文件的文件大小。我们也可以通过创建图层文件夹来组织和管理文档中的图层。

3.4.1 创建图层和图层文件夹

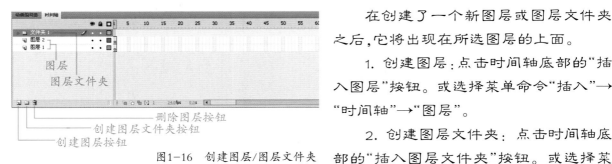

删除图层按钮
创建图层文件夹按钮
创建图层按钮

图1-16 创建图层/图层文件夹

在创建了一个新图层或图层文件夹之后,它将出现在所选图层的上面。

1. 创建图层:点击时间轴底部的"插入图层"按钮。或选择菜单命令"插入"→"时间轴"→"图层"。

2. 创建图层文件夹:点击时间轴底部的"插入图层文件夹"按钮。或选择菜单命令"插入"→"时间轴"→"图层文件夹"(图1-16)。

3.4.2 查看图层和图层文件夹

在动画制作中,有时需要显示或隐藏图层或文件夹。在发布Flash SWF文件时,文档中的任何隐藏图层都会被保留并显示出来。

单击时间轴中该图层或图层文件夹名称右侧的"眼睛"列,可以隐藏该图层或图层文件夹,再次单击它可以显示该图层或图层文件夹。

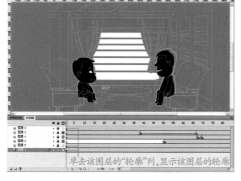

单击该图层的"眼睛"列,隐藏该图层

单击眼睛图标,隐藏所有图层

图1-17 隐藏图层/图层文件夹

单击眼睛图标可以隐藏时间轴中的所有图层和图层文件夹,再次单击它可以显示所有的图层和图层文件夹(图1-17)。

3.4.3 查看图层上的内容的轮廓

单击该图层名称右侧的"轮廓"列,可以显示该图层的轮廓,再次单击可以关闭轮廓显示(图1-18)。

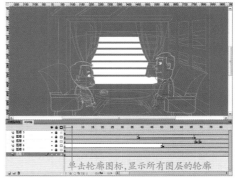

单击该图层的"轮廓"列,显示该图层的轮廓

单击轮廓图标,显示所有图层的轮廓

图1-18 显示图层轮廓

单击轮廓图标可以显示所有图层上的轮廓,再次单击可以关闭所有图层上的轮廓显示。

3.4.4 更改图层的轮廓颜色

右键单击该图层,选择"属性",在"图层属性"浮动窗口中,单击"轮廓颜色"框,然后选择新的颜色,单击"确定"(图1-19)。

图1-19 更改图层轮廓颜色

3.4.5 编辑图层和图层文件夹

我们可以重命名、复制和删除图层及图层文件夹。还可以锁定图层和图层文件夹,以防止对它们进行编辑。在默认情况下,新图层是按照创建它们的顺序来命名的:如图层1、图层2……,依此类推。

重命名图层或图层文件夹:双击时间轴中图层或图层文件夹的名称,再输入新名称。或者右键单击,选择"属性",在"图层属性"浮动窗口中,在"名称"文本框中输入新名称(图1-20)。

锁定或解锁一个或多个图层或图层文件夹:单击图层或图层文件夹名称右侧的"锁定"列可以锁定它。再次单击"锁定"列可以解锁该图层或图层文件夹(图1-21)。

图1-20　更改图层名称

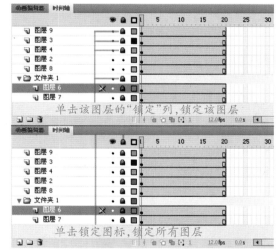

图1-21　锁定图层/图层文件夹

删除图层或图层文件夹:选择需要删除的图层或图层文件夹,单击时间轴中的"删除图层"按钮。或者直接将图层或图层文件夹拖到"删除图层"按钮。

3.5 对象的操作

对象是放置在工作区域的内容,包括绘制的矢量图、创建的文本框和按钮、导入的位图或视频等等。我们可以对对象进行操作,如移动、复制、删除、变形、排列、对齐或组合。

3.5.1 移动、复制、删除对象

我们可以使用移动工具来移动对象。

选择对象,使用Ctrl+C可以复制该对象,也可以在拖动对象时按下键盘上的Ctrl键直接复制(图1-22)。

选择对象,按键盘上的Del键可以删除该对象。

3.5.2 变形对象

我们可以使用变形工具对对象进行变形、旋转、缩放、扭曲。

图1-22 直接复制对象

3.5.3 排列对象

我们可以修改多个对象的叠加顺序,具体操作为选择该对象,按键盘上的Ctrl+↑或Ctrl+↓来改变该对象和其他对象的叠加顺序(图1-23)。

正常叠放顺序　　　　　　A:下移一层　　　　　　B:上移一层

图1-23 排列对象

3.5.4 对齐对象

我们可以使用"对齐"面板来沿水平或垂直轴对齐所选对象。

3.5.5 组合对象

如果要将多个元素作为一个对象来处理,就需要将它们组合。

创建组:从舞台中选择要组合的对象,可以选择形状、其他组、元件、文本等等。菜单命令"修改"→"组合",或者按下Ctrl+G(图1-24)。

取消组:使用菜单命令"修改"→"取消组合",或者按下Ctrl+Shift+G。

编辑组或组中的对象。

选择要编辑的组,然后选择"编辑"→"编辑所选项目",或用"选取"工具双击该组。页面上不属于该组的部分都将变暗,表明不属于该组的元素是不可访问的(图1-25)。

形状　　　　　　组

图1-24 创建组

编辑组

图1-25 编辑组

第二讲 Flash绘图技法

第一节 工具的使用

工具箱为我们提供了大量的画图工具,用于创建和编辑图像、图稿、页面元素等等,并且相关工具分组列出(图2-1)。

1.1 选取编辑工具组

用于选取和编辑图形,包含五个工具,分别为"选择工具"、"部分选取工具"、"任意旋转工具"、"3D旋转工具"和"套索工具"(图2-2)。

1.1.1 选择工具

选择工具用于选择对象。

用选择工具单击一个对象,就选取了该对象。用选择工具框选,则选取范围框内的所有对象。在选取的同时按住键盘上的Shift键,就能连续选择多个对象。

选取的形状类型对象以点显示,选取的组、元件或视频剪辑以蓝色框显示。

图2-1 工具面板

1.1.2 部分选取工具

部分选取工具用来调整路径锚点,一般结合钢笔工具一起使用。

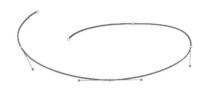

图2-3 使用部分选取工具调整曲线

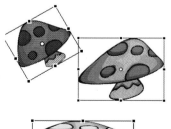

选择工具 —— 部分选取工具
任意变形工具 —— 3D 旋转工具
套索工具

图2-2 选取编辑工具组

用部分选取工具可以移动、添加或删除路径上的锚记点,移动锚记点可以调整直线段的长度或角度,或曲线段的斜率(图2-3)。

1.1.3 任意变形工具

任意变形工具用来放大、缩小、旋转对象(图2-4)。

用任意变形工具单击选择需要修改的对象,该对象周围出现一个变形框。当鼠标移到变形框的四个角落上时,使用左键拖动可以放大缩小对象。当鼠标靠近变形框的角落时,可以旋转对象。当鼠标移到中央时,可以拉长或压扁对象。当鼠标靠近变形框的边缘时,可以拉长或压扁对象。

对于形状类型的对象,当鼠标靠近角落时,同时按下键盘上的Ctrl键,可以扭曲对象。

1.1.4 3D旋转工具

3D旋转工具可以在三维空间里翻转对象,但只适用于影片剪辑元件。

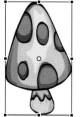

图2-4 使用任意变形工具调整形状

适用3D旋转工具，选择需要修改的影片剪辑元件类型的对象，该对象周围出现三维框。当鼠标移到纵向红色线时，使用左键拖动可以以X轴方向旋转对象。当鼠标移到横向绿色线时，使用左键拖动可以以Y轴方向旋转对象。当鼠标移到外面的蓝色圈时，使用左键拖动可以以Z轴方向旋转对象。当鼠标移到最外面的黄色圈时，使用左键拖动可以任意旋转对象（图2-5）。

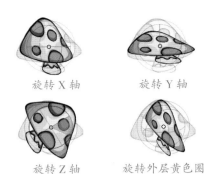

旋转X轴　　　　旋转Y轴

旋转Z轴　　　　旋转外层黄色圈

图2-5　使用3D旋转工具编辑影片剪辑元件

1.1.5 套索工具

套索工具用来选取对象。

使用套索工具框选，则选取范围框内的对象，或对象的一部分。需要连续选择多个对象的时候，只需在选取的同时按住键盘上的Shift键框选即可。

1.2 绘制工具组

用于绘制图形，包含七个工具，分别为"钢笔工具"、"文本工具"、"线条工具"、"矩形工具"、"铅笔工具"、"刷子工具"和"Deco工具"（图2-6）。

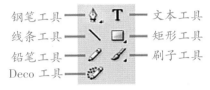

钢笔工具　　　　　　文本工具
线条工具　　　　　　矩形工具
铅笔工具　　　　　　刷子工具
Deco工具

图2-6　绘制工具组

1.2.1 钢笔工具

钢笔工具一般用于绘制精确的路径。使用钢笔工具绘制曲线，可以创建曲线点。

长按钢笔工具，可以打开隐藏的三个工具，分别是"添加锚点工具"、"删除锚点工具"和"转换锚点工具"（图2-7）。

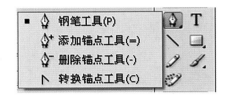

钢笔工具(P)
添加锚点工具(=)
删除锚点工具(-)
转换锚点工具(C)

图2-7　钢笔工具组

1.2.2 文本工具

文本工具用于创建文本。

1.2.3 线条工具

线条工具用于绘制直线。

选择线条工具，鼠标变成十字形状，通过左键拖动来绘制直线。要绘制水平、垂直或斜45度线时，只需在绘制时按住键盘上的Shift键即可。

1.2.4 矩形工具（图2-8）

矩形工具用于绘制矩形等基本图形（图2-9）。

点击矩形工具，可以打开并选择其他隐藏工具，有椭圆工具、基本矩形工具、基本椭圆工具和多角星形工具。

长按矩形工具，可以打开隐藏的四个工具，分别是"椭圆工具"、"基本矩形工具"、"基本椭圆工具"和"多角星形工具"。

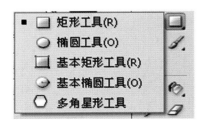

矩形工具(R)
椭圆工具(O)
基本矩形工具(R)
基本椭圆工具(O)
多角星形工具

图2-8　矩形工具组

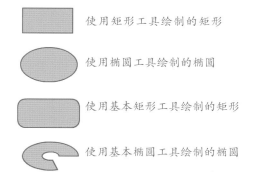

使用矩形工具绘制的矩形

使用椭圆工具绘制的椭圆

使用基本矩形工具绘制的矩形

使用基本椭圆工具绘制的椭圆

使用矩形工具绘制的正矩形

使用椭圆工具绘制的正圆

使用多角星形工具绘制的多边形

使用多角星形工具绘制的星形

图2-9　使用矩形工具组绘制图形

1.2.5 铅笔工具

铅笔工具用于绘制线条。

1.2.6 刷子工具

刷子工具用于绘制色块。

1.2.7 Deco工具

Deco工具用于填充效果花纹,如蔓藤式填充、网格填充和对称刷子填充(图2-10)。

1.3 填色工具组

用于设置骨骼和填充颜色,包含四个工具,分别为骨骼工具、颜料桶工具、滴管工具和橡皮擦工具(图2-11)。

1.3.1 骨骼工具

骨骼工具用于创建骨骼和编辑骨骼。只适用于影片剪辑元件和图形元件类型的对象。

具体运用请参照第三讲动画技法相关内容。

1.3.2 颜料桶工具

颜料桶工具用于填充颜色。

点击颜料桶工具,可以打开并选择其他隐藏工具的墨水瓶工具。颜料桶工具填充色块颜色,墨水瓶工具填充线条颜色(图2-12)。

1.3.3 滴管工具

滴管工具用于吸取颜色。

1.3.4 橡皮擦工具

橡皮擦工具用于擦除。

对应工具属性模块中,有几种擦除模式,分别为标准擦除、擦除填色、擦除线条、擦除所

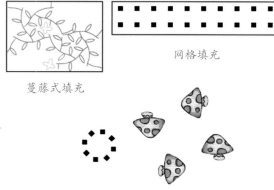

网格填充

蔓藤式填充

对称刷子填充

图2-10　Deco填充

骨骼工具 ——　　　　—— 颜料桶工具
滴管工具 ——　　　　—— 橡皮擦工具

图2-11　填色工具组

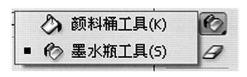

颜料桶工具(K)

墨水瓶工具(S)

图2-12　颜料桶工具组

标准擦除

擦除所选填充

擦除填充

内部擦除

擦除线条

图2-13 不同擦除方式

手形工具  缩放工具

图2-14 操作工具组

默认为放大工具，按下键盘上的Alt键，切换到缩小工具。

1.5 色彩工具组

显示笔触颜色和填充颜色，点击色块可以修改默认颜色（图2-15）。

点击黑白按钮可以重设到默认颜色，点击交换按钮可以实现笔触颜色和填充颜色的互换。

1.6 工具属性

相对于以上选择的工具，列出相应的工具属性（图2-16）。

1.7 面板组

Flash中的各种面板可帮助我们查看、组织和更改文档中的对象，可以更改元件、实例、颜色、类型、帧和其他元素的特征，也可以处理对象、颜色、文本、实例、帧、场景和整个文档。使用菜单的"窗口"栏，可以调出需要的面板。

图2-17 舞台的属性

选填充和内部擦除。水龙头模式可以擦除整块填色，也可以选择橡皮擦的大小及形状（图2-13）。

1.4 操作工具组

用于舞台的基本操作，包含两个工具，分别为"手形"工具和"缩放"工具（图2-14）。

1.4.1 手形工具

手形工具用于拖动舞台。

如果当前选择的工具为其他工具时，按下键盘上的空格键，可以迅速切换到手形工具，松开空格键恢复到当前选择的工具。

1.4.2 缩放工具

缩放工具用于放大和缩小舞台。

笔触颜色 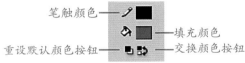 填充颜色

重设默认颜色按钮 — 交换颜色按钮

图2-15 色彩工具组

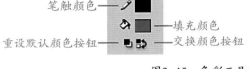

图2-16 选择工具对应的属性

1.7.1 属性面板

属性面板可以更改舞台或时间轴上的最常用属性。

使用"窗口"→"属性"打开，快捷键为Ctrl+F3。

点击舞台空白区域，属性面板显示舞台的属性。点击"大小"可以更改该文档舞台的大小。点击"舞台"后的颜色框可以更改该文档舞台的颜色（图2-17）。

选择不同的工具或对象，属性面板则显示工具或对象的属性。

1.7.2 库面板

库面板是用来存储和组织Flash中创建的各种元件的地方,它也用于存储和组织导入的文件,如位图、声音和视频剪辑。同时,库面板也列出了对象的属性,如使用次数、修改日期、类型等。Flash的每个文档都有它自己的库,并且可以在不同的 Flash文件之间共享库。

使用"窗口"→"库"打开,快捷键为Ctrl+L(图2-18)。

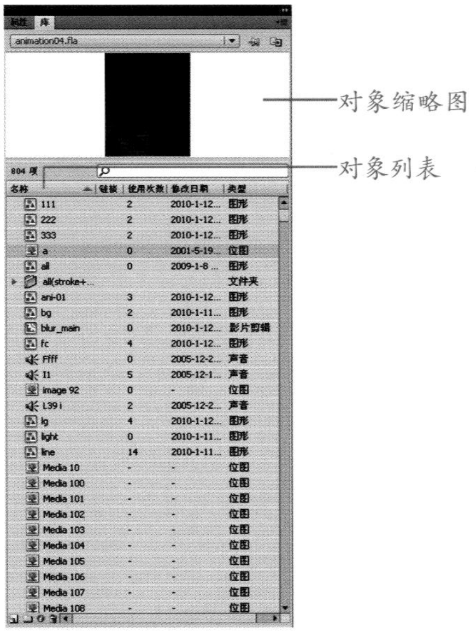

1.7.3 对齐面板

对齐面板可以对齐对象。我们可以将所选对象按照中心间距或边缘间距相等的方式进行分布,也可以调整所选对象的大小,使所有对象的尺寸一致,或者将所选对象与舞台对齐。

使用"窗口"→"对齐"打开, 快捷键为Ctrl+K(图2-19)。

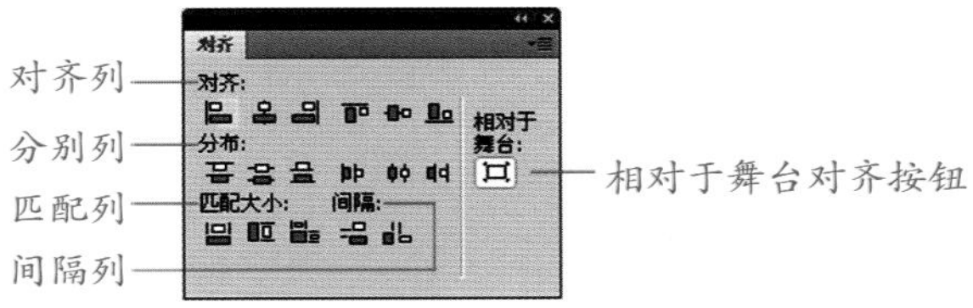

1.7.4 颜色面板

使用颜色面板可以创建和编辑纯色或渐变填充。也可以导入、导出、删除和修改文件的调色板。

使用"窗口"→"颜色"打开,快捷键为Ctrl+F9(图2-20)。

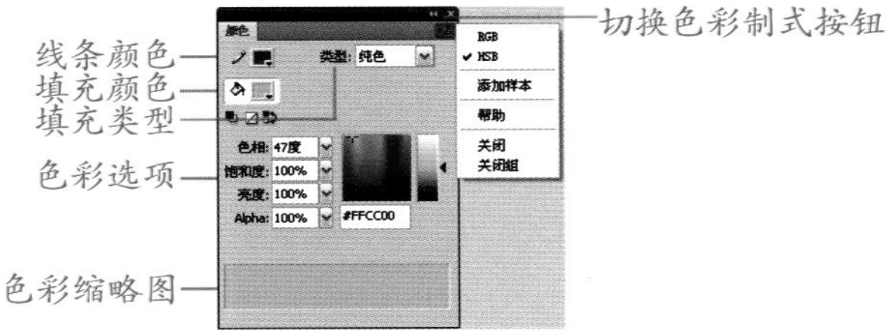

1.8 绘图实例

1.8.1 动画角色绘制(图2-21)

1. 打开Flash。新建一个Flash文档。

2. 绘制形体

在工具面板选择椭圆工具,在属性面板里,修改笔触的粗细为3,修改笔触颜色为蓝色,R:0,G:0,B:255,色号:# 0000FF。

Rabbit角色的头部、身体、手和尾巴是封闭形状,所以我们直接使用椭圆工具绘制,再辅助选择工具进行修改(图2-22)。

图2-18 库面板

图2-19 对齐面板

图2-20 颜色面板

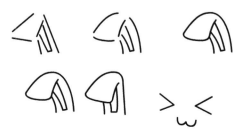

图2-21 Rabbit动画角色　　图2-22 Rabbit的头部、身体、手和尾巴　　图2-23 Rabbit的耳朵、眼睛和嘴巴

Rabbit角色的耳朵、眼睛和嘴巴是不封闭形状，所有我们使用线条工具绘制，再辅助选择工具进行修改（图2-23）。

小诀窍：使用选择工具修改线条。

使用选择工具可以方便地修改线条。

当选择工具靠近线条中间时，箭头后面的线框变成一条弧线，这时使用鼠标左键拖动可以拉出弧线。当选择工具靠近线条两端时，箭头后面的线框变成直角形，这时使用鼠标左键拖动可以调整线条的端点位置。

使用选择工具靠近线条中间时，按下键盘上的Ctrl键，同时使用鼠标左键拖动，可以截断线条。

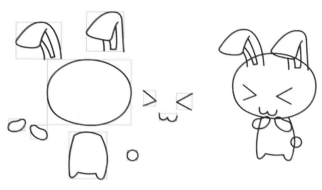

图2-24　Rabbit分组及线稿完成

在绘制Rabbit角色时，我们将进行分组。将头部、身体、尾巴、耳朵等等单个元素作为组合来绘制，最后将这些组合拼合起来。分组是为了便于下一步动画的制作（图2-24）。

3. 修形

在制作适用于电视播放的动画时，我们一般不使用线条类型，即使是很细的直线。因为线条在动画播放时会呈现锯齿状，从而影响动画效果。

小诀窍：将线条转化为填充。

我们可以使用"将线条转化为填充"命令来将线条变成填充。

使用选择工具选择Rabbit头部的线条，使用"修改"→"形状"→"将线条转化为填充"命令。在属性面板中，我们可以看到Rabbit头部的线条变成了填充类型，我们可以修改头部边线填充的粗细，使角色更立体（图2-25）。

图2-25　将线条转化为填充，进行修改

重复使用将线条转化为填充命令，将Rabbit角色的各部分都转化为填充，并且修改线条（图2-26）。

4. 填色

调出颜色面板，进行填色。

将填充颜色修改为深褐色，R:87,G:68,B:58,色号:#57443A,使用工具面板的油漆桶工具为Rabbit边线填色。

将填充颜色修改为浅米色，R:247,G:245,B:232,色号:#F7F5E8,为Rabbit内部填色。

将填充颜色修改为浅红色，R:247,G:188,B:162,色号:#F7BCA2,

图2-26　Rabbit修形完成

为Rabbit耳朵填色（图2-27）。

5. 制作立体效果

单色填充会使角色显得单调，我们可以通过为Rabbit适当添加阴影的效果来丰富角色。

选择线条工具，属性面板中选择线条颜色为红色，R:255,G:0,B:0,色号:＃FF0000。假设光源在左上方，在角色的各部件中根据光源将阴影线绘制出来，并且填上颜色。一般阴影色比角色本身颜色的亮度偏低（图2-28）。

图2-27　填充单色

填充Rabbit内部阴影色R:237,G:233,B:205,色号:#EDE9CD；填充Rabbit耳朵阴影色R:242,G:152,B:115,色号:#F29873。填充完毕后将红色阴影线删除（图2-29）。

6. 绘制Rabbit脸上的红晕

选择椭圆工具。打开颜色面板，去掉笔触颜色，选择填充颜色，将填充类型改为放射状，修改放射状的中间颜色为半透明红色，R:255,G:0,B:0,Alpha值为40%；修改放射状的四周颜色为全透明红色，R:255,G:0,B:0,Alpha值为0%。在舞台中绘制一个正圆，组合，使用自由变换工具进行压缩变形。将红晕放置到Rabbit角色脸上合适的位置（图2-30）。

动画角色Rabbit绘制完成。

保存文档，命名为Rabbit。

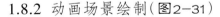

图2-28　添加阴影　　　图2-29　立体效果完成　　　图2-30　完成Rabbit动画角色的绘制

1.8.2　动画场景绘制（图2-31）

1. 打开Flash。新建一个Flash文档。

2. 绘制天空

绘制一个矩形。

打开颜色面板，选择填充颜色的类型为线性。在颜色滑块上设置左边的颜色为白色，设置右边颜色为深蓝色。点击颜色滑块中间，添加一个渐变颜色，设置为浅蓝色。可以再添加一个浅蓝块，使其靠近最右边的深

图2-31　湖边场景

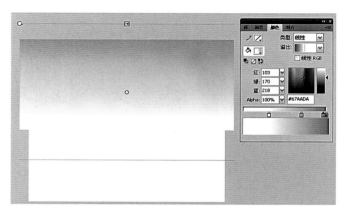

图2-32 绘制天空

蓝块，以丰富天空的色彩效果。

填充矩形，使用工具面板的填充渐变工具修改为横向，并修改渐变范围（图2-32）。

3. 绘制湖面

使用矩形工具和铅笔工具绘制湖面，并填色（图2-33）。

小窍门：铅笔模式。

选择铅笔工具，工具面板的选项组中列出了三种铅笔模式，分别是伸直、平滑、墨水。

伸直模式绘制的线条细节少，转角处会出现锯齿状，一般很少使用该模式。平滑模式绘制的线条有细节、平滑，一般经常使用该模式。墨水模式绘制的线条能保留很多细节，适用于绘制细碎的图形，如树木等。

我们根据绘制的需要，选用相应的模式绘制图形。

4. 绘制灌木丛

使用铅笔工具，选择墨水模式，绘制灌木丛，并填充颜色（图2-34）。

图2-33 绘制湖面

图2-34 绘制灌木丛

5. 绘制倒影

选择绘制的灌木丛，复制，打开颜色面板，修改复制的灌木丛颜色为透明色，将原灌木丛颜色的Alpha值减为40%，再次填充。使用自由变换工具垂直翻转复制的灌木丛，并在垂直方向压缩。修改好后，放置到灌木丛的下方，对齐（图2-35）。

6. 绘制远山

使用线条工具和铅笔工具结合，绘制远山，并填充颜色。排列远山，使其放置于灌木丛的后面，天空的前面（图2-36）。

图2-35　绘制倒影

图2-36　绘制远山

7. 绘制石头

使用铅笔工具,选择墨水模式,绘制石头,并填充颜色(图2-37)。

8. 复制及排列石头

将绘制好的石头复制4个,使用自由变换工具进行放大缩小,并在湖面上排列好(图2-38)。

动画场景湖边绘制完成。

保存文档,命名为《湖边》。

图2-37　绘制石头

图2-38　复制及排列石头

第二节　元件的使用

2.1 元件概念(图2-39)

Flash中能创建三种类型的元件,每种类型的元件都有自身的时间轴,我们可以在元件内部制作动画。

元件是可以重复使用的对象,实例是元件在舞台上的一次具体使用。重复使用实例不会增加Flash文档的大小。在Flash文档中使用元件可以减小文件的大小,同时还可以加快 SWF 文件的回放速度。

形状

组

影片剪辑元件

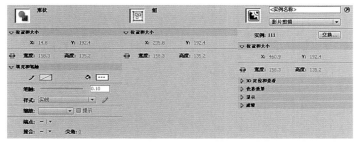
图2-39　形状、组、元件及其对应的属性

2.2 元件的类型

在Flash里创建的三种元件类型分别为图形、影片剪辑和按钮。

图形元件用于制作动画。

影片剪辑元件类似于图形元件，也用于制作动画，但可以使用ActionScript来控制以实现交互效果。

按钮元件用于创建按钮。

2.3 创建图形元件

图形元件适用于静态图像的重复使用，或创建和文档的主时间轴相关联的动画，在中期动画制作中使用的最为频繁。

工具面板中使用选择工具。选中舞台上绘制好的蘑菇图形。 使用菜单命令"修改"→"转换为元件"，快捷键为F8。在"转换为元件"浮动窗口中，输入"mushroom"作为名称，选择"图形"类型，点击确定创建元件（图2-40）。

现在舞台上的蘑菇图案是mushroom元件的实例。打开库面板，我们可以找到"mushroom"元件（图2-41）。

图2-40　创建图形元件

2.4 创建影片剪辑元件

影片剪辑元件类似于图形元件，但它有不依赖Flash文档主时间轴的时间轴。我们可以在其他影片剪辑或按钮中添加影片剪辑。

选中舞台上绘制好的蘑菇图形。使用菜单命令"修改"→"转换为元件"，快捷键为F8。在"转换为元件"浮动窗口中，输入"mushroom01"作为名称，选择"影片剪辑"类型，点击确定创建元件（图2-42）。

我们还可以在属性面板中为它分配实例名称，以便在 ActionScript语句中引用它，来创建交互效果。选择刚才创建的mushroom01元件，在属性面板中，在"实例名称" 文本框中输入mush-room01_mc（图2-43）。

图2-41　库面板中的mushroom元件

图2-42　创建影片剪辑元件　　图2-43　分配实例名称

2.5 创建按钮元件

选中舞台上绘制好的蘑菇图形。使用菜单命令"修改"→"转换为元件",快捷键为F8。在"转换为元件"浮动窗口中,输入"mushroom02"作为名称,选择"按钮"类型,点击确定创建元件(图2-44)。

按钮其实是一个只有四帧的影片剪辑(图2-45)。前三帧显示按钮的三种可能状态,第四帧定义按钮的活动区域,其每个帧都有特定的功能:

第一帧是弹起状态,表示鼠标没有经过按钮时的状态。

第二帧是指针经过状态,表示鼠标滑过按钮时该按钮的外观。

第三帧是按下状态,表示鼠标单击按钮时该按钮的外观。

第四帧是点击状态,定义鼠标点击到的区域范围。

图2-44　创建按钮元件

图2-45　按钮内部的四个帧

2.6 复制和更改元件属性

在创建元件后,我们可以在舞台上重复使用该元件的实例。我们也可以更改单个实例的属性却不会影响其他实例,如更改颜色、更改透明度等等。

图2-46　更改元件色调

在舞台上选择mushroom,按Ctrl键并将mushroom拖动以复制一个,选择复制的实例,打开属性面板,点击色彩效果栏,在"样式"中选择"色调",点击色板选择一种颜色,调节色调值的滑杆,更改完成后复制的实例变为蓝色,但原始实例仍保持不变(图2-46)。

同样的,我们可以调节亮度、色调、Alpha透明度,还可以使用高级选项同时调节亮度、色调、Alpha值。

2.7 修改元件

双击一个元件的任何实例,可以进入元件编辑模式,在元件编辑模式下我们可以更改元件,但更改元件会影响该元件的所有实例。

在舞台上,双击mushroom实例,进入该实例的编辑模式。在元件编辑模式下,该蘑菇为图形类型,我们使用"任意变形"工具放大它,修改单个色块的颜色,再次双击空白处,退出元件编辑模式。则舞台上元件的其他实例都能反映出变化效果(图2-47)。

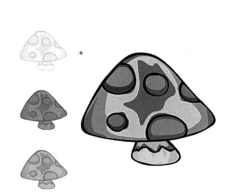

图2-47　修改元件

第三节 文本的使用

3.1 文本的概念

我们可以在Flash中创建文本,包括静态文本、动态文本或输入文本。动态文本是能显示动态更新的文本,如体育得分或股票报价。输入文本可以为表格输入文本。和影片剪辑元件一样,文本也是ActionScript对象。我们可以为文本指定实例名称,使用 Action-Script命令来控制它。

3.2 文本的类型

在Flash中我们可以创建三种类型的文本,分别为静态文本、动态文本和输入文本。

静态文本:不会动的文本。

动态文本:可以显示动态更新的文本。

输入文本:可以允许我们把文本输入到表单或调查表中。

3.3 创建文本

选择"文本"工具,在属性面板中,选择文本类型,在舞台中点击,输入文字即可。

创建文本时,Flash会在文本块的一角显示一个手柄,用来标识该文本块的类型(图2-48):

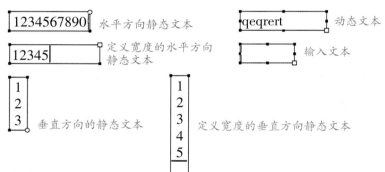

图2-48　创建文本

1. 水平方向的静态文本,会在文本块的右上角出现一个圆形手柄。

2. 定义宽度的水平方向静态文本,会在该文本块的右上角出现一个方形手柄。

3. 垂直方向的静态文本,会在该文本块的左(右)下角出现一个圆形手柄。

4. 定义宽度的垂直方向静态文本,会在该文本块的左下角出现一个方形手柄。

5. 动态文本和输入文本,会在该文本块的右下角出现一个方形手柄。

3.4 设置文本属性

创建文本之后,我们在属性面板中修改文本的属性,如字体、大小、颜色、行距等等。

3.4.1 设置文本的字体属性

选择文本,在属性面板中选择字符列(图2-49)。

在"系列"列表中选择一种字体进行更改。

在"样式"中可以选择设置加粗、倾斜或者同时加粗和倾斜。

在"大小"中拖动滑块选择一个值，或者输入数字更改文本的大小。

在"字母间距"中拖动滑块选择一个值，或输入数字来更改字符之间的间距。

在"颜色"中单击颜色框，选择一种颜色来更改文本的颜色。

直接点击"上标"或"下标"按钮可以将文本设置为上标或者下标。

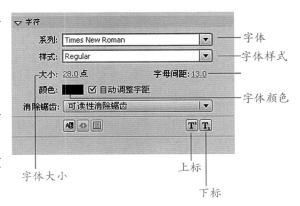

图2-49　设置字体属性

3.4.2 设置文本的段落属性

在属性面板中，选择段落列（图2-50）。

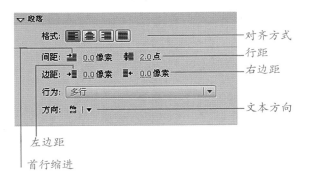

图2-50　设置段落属性

到左"。

在"格式"中点击左对齐、居中、右对齐或两端对齐按钮设置文本段对齐方式。

在"间距"中，选择首行缩进和行距，拖到滑块设置文本段的间距。

在"边距"中，选择左边距和右边距，拖到滑块设置文本段的边距。

在"方向"中，点击选择修改文本方向，水平文本或垂直文本。其中垂直文本有两种，分别为"垂直，从左到右"和"垂直，从右

3.5 编辑文本

我们可以使用"剪切"、"复制"和"粘贴"命令在 Flash 文件内以及在 Flash 和其他应用程序之间移动文本。

3.6 填充文字

我们可以将文字转化为矢量，再对其进行填充，使文字产生特殊的效果，如变形、使用渐变色、应用滤镜等等。

创建一个文本，打散文本（Ctrl+B），修改和使用油漆桶工具填充文字（图2-51）。

图2-51　填充文字

第三讲 Flash动画技法

第一节 动画原理

1.1 视觉残留

人的视觉在看到的物像消失后,仍可暂时保留视觉的印象。视觉印象在人的眼中大约可保持0.1秒之久。如果两个视觉印象之间的时间间隔不超过0.1秒,那么前一个视觉印象尚未消失,而后一个视觉印象已经产生,并与前一个视觉印象融合在一起,就形成视觉残留现象。

传统动画是以各种绘画形式作为主要表现手段,用画笔画出的一张张不动的、但又逐渐变化着的动态画面,由摄像机逐格拍摄或由电脑扫描,然后以每秒24张的速度连续播放,从而使所绘制的画在荧屏里活动起来。

1.2 Flash动画原理

Flash将动画、音乐、音效、按钮等等拼合在一起,制作出高品质的交互动画。Flash动画的实现采用了时间轴和关键帧技术。在时间轴上先后加入包含不同内容的关键帧,播放的时候按照先后顺序读取时间轴上的关键帧,由于关键帧上内容的变化则产生了动画。

第二节 逐帧动画技法

2.1 逐帧动画

逐帧动画是通过更改每一帧中的舞台内容而产生的动画效果,它适合于每一帧中的图像都有较大更改的复杂动画。创建逐帧动画,需要将每个帧都定义为关键帧,然后给每个帧创建不同的图像。每个新关键帧最初包含的内容和它前面的关键帧是一样的,因此可以递增地修改动画中的帧。

创建逐帧动画,激活图层,创建一个关键帧,在该关键帧上绘制一个物体,在下一帧创建一个新的关键帧,在舞台中改变该帧的内容,重复创建一个新的关键帧,再改变帧的内容,重复以上步骤,直到创建了所需的动作。测试动画序列,请选择"控制"→"播放"观看逐帧动画。

图3-1 分好组的小猪角色

2.2 实例:逐帧动画——小猪啦啦队

1. 打开文件pig_start.fla。

文件中有一只绘制好的小猪,小猪的各部分已分好组,我们使用它来制作逐帧动画(图3-1)。

2. 在图层1中使用快捷键F6,插入一个关键帧。在舞台中重新排列小猪动作,将小猪的头部、身体、手向下移动一定的位置,将手旋转到一定的角度(图3-2)。

3. 重复步骤2,依次创建6个关键帧,按图3-3所示修改小猪的动作。

图3-2　第二个关键帧　　　　　　　　　图3-3　其他关键帧上小猪的动作

小诀窍:使用绘图纸外观编辑逐帧动画。

通常情况下,Flash在舞台中一次只显示动画序列的一个帧。

使用绘图纸外观可以帮助我们定位和编辑逐帧动画,使我们可以在舞台中一次查看多个帧(图3-4)。

点击绘图纸外观, 可以同时显示多个帧上的内容。播放头所在的帧是全彩显示,但是其余的帧是暗

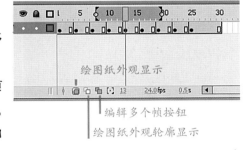

图3-4　使用绘图纸轮廓

淡的,看起来就好像每个帧是画在一张半透明的绘图纸上,而且这些绘图纸相互层叠在一起(图3-5)。

点击绘图纸外观轮廓,可以显示多个帧上内容的轮廓。播放头所在的帧仍然全彩显示。

点击编辑多个帧,可以在显示多个帧内容的同时,对播放头所在帧的前面帧或后面帧进行编辑。

4. 动画制作完成,按回车键播放预览动画,并保存文件。

第三节　补间动画技法

3.1 补间动画

除了使用逐帧技法来制作动画,Flash还可以创建补间动

图3-5　使用绘图纸编辑小猪动作

画。只要定义起始帧和结束帧，就可以让Flash自动生成中间的过渡动画。我们通过更改起始帧和结束帧之间的对象形状、大小、旋转、颜色等等来创建运动的效果。使用补间制作动画能最大程度地减小所生成的Flash文件大小。

在Flash中，可以使用三种方法创建补间动画，分别为补间动画、补间形状和传统补间。

补间动画：先创建补间动画，在其他帧直接编辑对象，创建动画效果。补间动画只能应用于元件和文本字段。形状和组不能直接用来制作补间动画。

补间形状：在两个关键帧（起始帧和结束帧）上绘制不同的形状，来创建形状补间，形成形变动画效果。

传统补间：在两个关键帧（起始帧和结束帧）上定义一个对象的不同位置、大小和旋转等等属性，来创建动画补间，产生动画效果。与Flash CS4之前的各版本不同，组不能直接制作传统补间动画。

3.2 实例1：运动补间动画——气球和风车

1. 打开文件气球和风车_start.fla

文件中包含一个图层，是一张绘制好的动画场景，各部分已分组。在这个例子里，我们要完成的动画效果是气球的上升，风车的转动和白云的飘动（图3-6）。

2. 将对象分散到图层

在创建补间动画时，创建动画的图层上只能包含一个用于动画制作的元件或文本字段。如果一个图层上有多个对象时，我们要将用来制作动画的对象分散到图层。

图3-6

选择舞台上所有的文件，在对象上单击右键，从列表中选择"分散到图层"命令。舞台上的场景不变，而时间轴中增加了四个图层，分别放置气球、风车叶片、白云和背景，原图层1变为空白图层。

为了便于动画制作，我们将图层重新命名为气球、风车、白云和背景（图3-7）。

3. 转化为元件

用于制作动画的对象必须是元件类型。我们需要将气球、风车叶片和白云转化

图3-7 分散到图层

为元件。背景层没有动画,则不需要转化为元件。

选择气球,使用快捷键F8打开转化为元件窗口,在元件名称中输入气球,选择元件类型为图形,点击确定创建元件。同样,将风车叶片和白云也转化为图形元件。

4. 制作气球上升动画

我们使用创建补间动画制作气球上升动画。

选择气球图层,在时间轴第70帧,使用快捷键F5插入帧。

选择气球,在时间轴上单击右键,选择创建补间动画。气球图层的帧显示为蓝色,表示该图层已转化为补间图层。

在第70帧上,选择气球,在舞台中将气球的位置移动到右上方。这时,

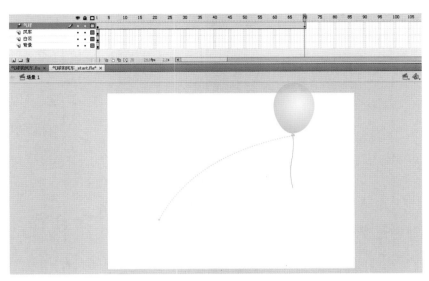

图3-8　气球动画

舞台上显示一条绿色点状直线,这条线表示气球在70帧内运动的轨迹,我们也可以使用选择工具修改轨迹线,使其变为曲线(图3-8)。

气球上升动画制作完成,按回车键播放预览动画。

5. 制作风车转动动画

我们使用创建补间动画制作风车旋转动画。

风车叶片的旋转,是以叶片中心为轴心旋转的,选择风车叶片,我们可以发现轴心并不在叶片中心上,这时我们需要先修改轴心。使用自由变换工具选择风车叶片,则叶片周围出现四周有8个点的矩形框,中间的空心圆就是它的轴心,我们移动空心圆到三个叶片的中心。切换回选择工具,风车叶片的轴心修改完毕(图3-9)。

选择风车图层,在时间轴第70帧,使用快捷键F5插入帧。

选择风车叶片,在时间轴上单击右键,选择创建补间动画。

打开属性面板,面板中显示的是补间动画的属性,打开旋转列,设置旋转次数为1次,方向为顺时针(图3-10)。

图3-9　修改旋转轴心

图3-10　风车旋转动画

风车旋转动画制作完成，按回车键播放预览动画。

6. 制作白云飘动动画

我们使用创建传统补间制作白云飘动动画。

选择白云图层，在时间轴第70帧，使用快捷键F5插入帧。

在第70帧，使用快捷键F6插入一个关键帧，将白云位置稍微向左移动一点点，在第1帧和第70帧中间任意选择一帧，单击右键，选择创建传统补间。气球图层的两个关键帧间显示为紫色，有一条实线箭头从第1帧指向第70帧，表示补间动画创建成功（图3-11）。

白云飘动动画制作完成，按回车键播放预览动画。

7. 选择背景图层，在时间轴第70帧，使用快捷键F5插入帧，使动画播放时场景显示完整。

图3-11 白云动画

气球和风车动画制作完成，按回车键播放预览动画，并保存文件。

小诀窍：传统补间动画的时间轴显示。

创建传统补间动画时，只有至少定义了两个关键帧（起始帧和结束帧），才能创建成功补间动画。

创建成功的传统补间动画，两个关键帧间显示为紫色，有一条实线箭头从起始帧指向结束帧。如果创建完成的两帧之间的箭头为虚线，则表明动画没有创建成功（图3-12）。

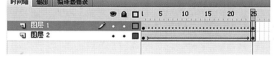

创建不成功的传统补间动画
创建成功的传统补间动画

图3-12 传统补间动画的时间轴显示

3.3 实例2：形变动画——波浪

1. 新建一个Flash文件，在这个动画实例中，我们要制作波涛汹涌的水面动画。

2. 绘制波浪

在图层1中，绘制一个水面，在颜色面板中，去掉边线色，将填充色修改为深蓝色，Alpha值为60%。

新建一个图层，绘制第二个水面，同样，无

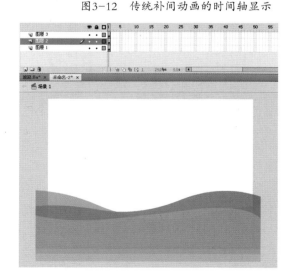

图3-13 绘制波浪

边显色,填充蓝色,60%透明度。

再新建一个图层,绘制第三个水面。无边显色,填充浅蓝色,60%透明度(图3-13)。

3. 制作动画

时间轴中,在三个图层的第50帧插入帧,设置一段动画时间。

选择图层1,锁定其他图层,则我们在制作第一个波浪动画时不会选择或编辑到其他图层上的波浪图形。

波浪翻滚是循环动画,即第一个关键帧和最后一个关键帧相同,在重复播放时就能形成循环动画。在图层1的第50帧插入一个关键帧,在25帧插入一个关键帧,这时图层1有三个关键帧,这三个关键帧上的内容相同。

选择第25帧,按照波浪的运动规律,在舞台上修改波浪的形状(图3-14)。

修改完成后,在第1帧和第25帧之间任意选择一帧,单击右键,选择创建补间形状。同样操作,在第25帧和第50帧之间创建补间形状。三个关键帧间显示为绿色,有两条实线箭头从第1帧指向第25帧和从第25帧指向第50帧,表示补间动画创建成功(图3-15)。

和创建传统补间一样,创建成功的补间形状,两个关键帧间显示为绿色,有一条实线箭头从起始帧指向结束帧。如果创建完成的两帧之间的箭头为虚线,则动画没有创建成功。

重复上面的步骤,为图层2和图层3的波浪创建补间形状动画(图3-16)。

4. 波浪动画制作完成,按回车键播放预览动画,并保存文件。

3.4 实例3:综合补间动画——热气

1. 打开文件热气_start.fla

文件内有一茶杯场景。在这个例子里,我们要制作茶杯冒热气的动画。热气在上升过程中

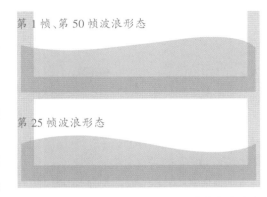

图3-14　设置波浪关键帧

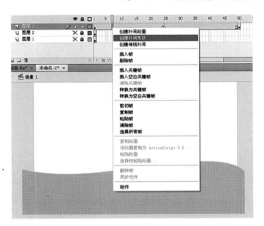

图3-15　创建补间形状动画

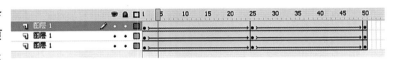

图3-16　创建补间形状动画

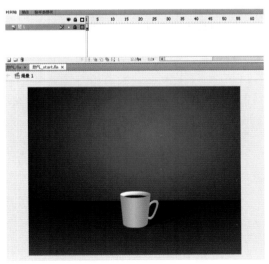

图3-17　场景

不断发生形变,并且渐渐消失。在这个动画实例中,将同时使用到补间动画和补间形状(图3-17)。

图3-18 绘制热气

2. 绘制热气

新建一个图层,为其命名为热气。在舞台上绘制一缕热气。在颜色面板中,去掉边线色,将填充色修改为白色,Alpha值为60%(图3-18)。

3. 制作热气形变动画

热气是在不停变换形状的,热气的形变我们也将它作为一个循环动画来制作。我们将热气的形变制作在元件内部。

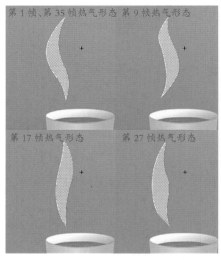

图3-19 热气动画

选择热气图形,使用快捷键F8将其转化为图形元件,命名为一缕热气。

双击元件,进入元件内部,元件有自己的时间轴,我们可以在元件里制作动画。我们假设35帧完成一个热气形变循环,在第35帧插入一个关键帧,在第17帧插入一个关键帧,修改第17帧热气的形状。在第1帧和第17帧之间任意选择一帧,单击右键,选择创建补间形状。同样在第17帧和第25帧之间创建补间形状。由于热气的形变比较复杂,我们可以在这三个关键帧直接再创建多个关键帧来完善动画(图3-19)。

动画创建完成后双击舞台的空白处,退出元件编辑模式。

图3-20 添加形状提示命令

小诀窍:使用形状提示。

当制作复杂的形状变化动画时,我们可以使用形状提示来创建正确的形变动画(图3-20)。

形状提示会标识起始形状和结束形状中的相对应的点。包含字母从a到z,用于识别起始形状和结束形状中相对应的点,一个形变动画中最多可以使用26个形状提示。

起始帧　　　　结束帧

图3-21 添加形状提示

形状提示在起始关键帧上是黄色的,在结束关键帧上是绿色的,当不在一条曲线上时为红色显示(图3-21)。

在复杂的补间形状中,我们注注需要创建中间形状后再进行补间,而不要只定义起始和结束的形状。

添加形状提示需要确保提示是符合逻辑的。即两个关键帧添加形状提示的顺序必须一致,顺时针或逆时针。

4. 复制热气

茶杯中冒出的热气不止一缕,我们可以把做好的一缕热气元件重复使用来丰富动画。

复制好的一缕热气元件,使用自由变换工具调整热气的大小及位置,放置在茶杯的上方(图3-22)。

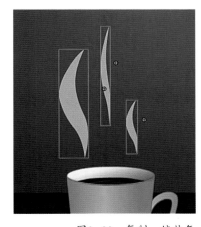

图3-22　复制一缕热气

在场景1的时间轴中,在两个图层的第60帧插入帧,设置一段动画时间,播放测试动画,我们发现三缕热气同时发生相同的形变,这时动画很难看,而且不符合自然界的运动规律,我们可以通过修改一缕热气图形元件的循环属性来改善动画。

小诀窍:图形元件循环设置。

图形类型的元件有循环属性的设置,选择图形元件,在属性面板中,选择循环列,"循环"选项中有三种方式,分别为"循环"、"播放一次"和"单帧"。

循环:循环播放该图形元件内部的动画。

播放一次:只播放一次该图形元件内部的动画,播放完成后停留在元件内部的动画的最后一帧。

单帧:只显示该图形元件内部的动画的某一帧。

"第一帧"选项后可以输入帧数,可以设置该图形元件内部的动画从第几帧开始播放,或者只显示动画的第几帧。

选择复制的一缕热气实例进行修改,选择循环选项,在第一帧中输入帧数设置实例(图3-23、3-24)。

图3-23　图形元件的循环

5. 制作热气上升动画

热气的形变制作完成后,我们还需制作热气的上升运动。由于热气在上升的同时不停在发生形变,所以我们使用上一步制作的一缕热气元件来制作热气上升动画。

选择舞台中的三个热气,使用快捷键F8将其转化为图形元件,命名为热气。

双击元件,进入元件内部,选择三个热气将它们分散到图层。删除空白图层1,在三个图层的第45帧插入帧,设置一段动画时间。

图3-24　修改一缕热气

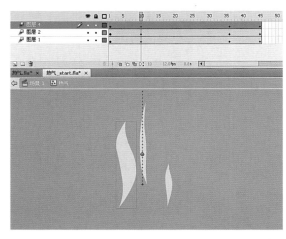

图3-25　热气动画

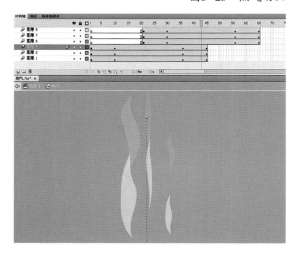

图3-26　丰富动画效果

在时间轴上单击右键，选择创建补间动画。在第45帧上，移动热气的位置到舞台上方（图3-25）。

热茶冒热气，刚开始时热气应该渐渐出现，最后应该慢慢消失。所以我们除了制作热气的位移，还需设置一缕热气实例的透明度（Alpha值）。

在第1帧，选择一缕热气实例，在属性面板的色彩效果列中，选择样式为Alpha，条件下方的滑杆，设置Alpha为0%。

在第10帧，设置Alpha为100%。

在第45帧，设置Alpha为0%。

6. 丰富动画效果

茶杯中只冒出一组热气，动画显得很单调。我们可以增加一组热气来丰富整个动画效果。

仍然在热气元件中，选择上一步创建好的三个图层的动画帧，右键选择复制帧。新建一个图层，在第21帧上右键选择粘贴帧。

第二组热气就制作完成了（图3-26）。

7. 热气动画制作完成，按回车键播放预览动画，并保存文件。

第四节　引导动画技法

4.1 引导动画

使用运动引导层制作动画，我们可以事先绘制对象运动的路径，然后让对象沿着路径来创建补间动画。我们可以将多个层链接到一个运动引导层，使多个对象沿同一条路径运动。我们把对象的运动路径绘制在引导层上，把用做动画的对象放置在引导层下属图层中。

4.2 创建引导层

1. 右键单击图层，选择"引导层"，则该图层由普通图层变为引导层，该图层名称的左侧有一个运动引导层图标。选择引导层下方的图层，直接将图层拖动到引导层上，可以使其变为被

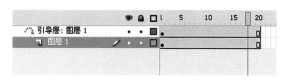

图3-27　引导层及被引导层图标

引导层。被引导层位于引导层的下一级。打开图层属性,我们可以看到引导图层的类型为"引导层",被引导图层的类型为"被引导"层(图3-27)。

2. 右键单击要创建动画的图层,选择"添加传统运动引导层"。 Flash会在所选的图层上方创建一个新的引导图层。

4.3 实例:引导动画——秋风落叶

1. 打开文件秋风落叶_start.fla

文件中包含一个图层,舞台中有三片树叶。在这个实例中,我们要制作秋风扫落叶的动画(图3-28)。

2. 将树叶转化为元件

选择树叶,分别将其转化为三个图形元件,名称为叶子1、叶子2和叶子3。

选择三个叶子元件,将它们分散到图层。

3. 绘制路径

图3-28 树叶

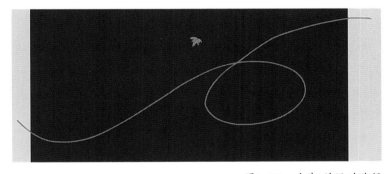

图3-29 叶片1的运动路径

绘制叶片飘落的路径(图3-29)。

4. 制作引导动画

使用选择工具,在工具面板的属性栏里打开"贴紧至对象"按钮。

在场景1的时间轴中,在三个叶片图层的第35帧插入帧,设置一段动画时间。

选择叶子1图层,右键单击,选择"添加传统运动引导层"命令,为叶子1图层添加一个引导层。

在引导层上,使用铅笔工具

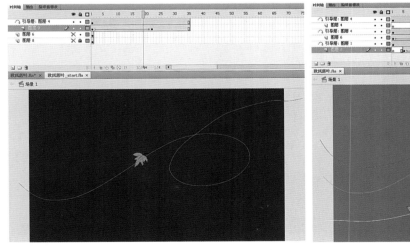

图3-30 叶片1动画

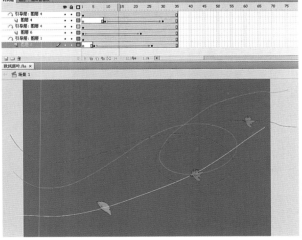

图3-31 落叶动画

在第一帧选择叶片1,将其吸附到路径的一个端点,在第22帧插入关键帧,将叶片吸附到路径的另一个端点。

在第1帧和第22帧之间任意选择一帧,右键选择创建传统补间(图3-30)。

打开属性面板,在补间列中勾选"调整到路径"可以使叶片的运动更好。

重复上面的操作,为叶片2和叶片3创建引导动画(图3-31)。

5. 秋风落叶动画制作完成,按回车键播放预览动画,并保存文件。

第五节　遮罩动画技法

5.1 遮罩动画

如果只需显示一张图的某一部分,我们可以使用遮罩层来实现。即在遮罩层上创建一个孔,通过这个孔可以看到下面的图层。遮罩的物体可以是形状、文字或元件。一个遮罩层只能包含一个遮罩项目。

5.2 创建遮罩

1. 右键单击图层,选择"遮罩层",则该图层由普通图层变为遮罩层,该图层名称的左侧有一个遮罩图标。选择遮罩层下方的图层,直接将图层拖动到遮罩层上, 可以使其变为被遮罩层。被遮罩层位于遮罩层的下一级。打开图层属

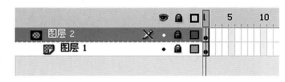

图3-32　遮罩层及被遮罩层图标

性,我们可以看到遮罩图层的类型为"遮罩层",被遮罩图层的类型为"被遮罩"层(图3-32)。

2. 创建两个图层,在上方的图层上右键点击选择"遮罩层"。 Flash会将上方的图层转化为遮罩层,将下方的图层设为被遮罩层。

5.3 实例:遮罩动画——探照灯

1. 新建一个Flash文件,命名为探照灯

在这个实例中,我们要制作探照灯效果动画。

2. 导入图片及创建遮罩

使用菜单命令"文件"→"导入"→"导入到舞台"导入一张图片。

在图层1上方新建一个图层2,选择图层2,右键点击选择"遮罩层"创建遮罩效果。

Flash会自动将两个图层锁定,锁定后我们看不到图层1中导入的图片,因为我们没有在遮罩层上绘制任何图形,点击锁定图层按钮解除锁定(图3-33)。

3. 绘制遮罩图形

使用椭圆工具在遮罩层上绘制一个圆形作为探照灯。锁定图层,我们可以看到遮罩效果。

探照灯将制作动画,我们需要将圆形转化为图形元件,命名为light(图3-34)。

图3-33　设置遮罩

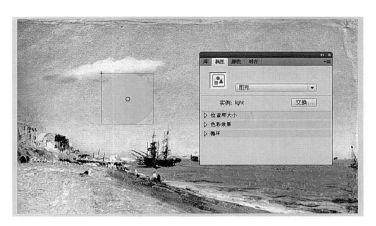

图3-34　遮罩舞台light

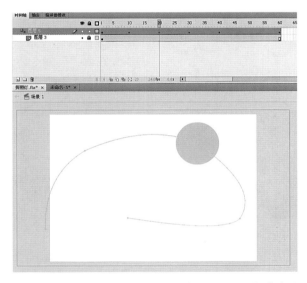

图3-35　light位移动画

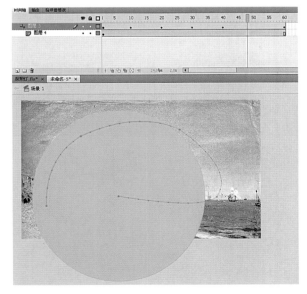

图3-36　light放大动画

4. 制作探照动画

在场景1的时间轴中，在两个图层的第60帧插入帧，设置一段动画时间。

选择light，在时间轴上单击右键，选择创建补间动画。

在第10、20、30、40帧上，选择light，移动它的位置，创建动画。再使用选择工具修改light的轨迹线，使其变为曲线（图3-35）。

在第50帧上，选择light，使用自由变换工具将light略微放大一点，在第60帧上，将light放大到遮住整张导入的图片（图3-36）。

5. 探照灯动画制作完成，按回车键播放预览动画，并保存文件。

第六节　综合动画技法

在实际动画制作中，我们有时要综合使用以上学到的各种动画制作方法，根据动画制作的需要来选择合适的动画技法制作。

6.1 实例：综合动画——表情

1. 打开文件表情_start.fla

舞台中有两个相同的兔子角色，在这个实例里，我们为兔子角色制作高兴和伤心两种表情（图3-37）。

在制作角色表情动画时，我们将制作不同的表情元件，以便于在动画中重复使用。

2. 制作高兴表情

选择左边的兔子角色，使用快捷键F8将其转化为图形元件，命名为happy。

双击happy进入元件编辑模式，将兔子的耳朵、眼睛、嘴巴、脸上的红晕和身体分散到图层中，在高兴表情中，我们制作兔子抬头露出笑脸的动画。在时间轴的第30帧插入帧，设置一段动画时间（图3-38）。

图3-37　兔子角色

制作张嘴动画。选择兔子的嘴巴，将其转化为图形元件，命名为happy_m。双击happy_m进入元件编辑模式，使用逐帧动画技法制作兔子张嘴。双击空白处退出happy_m元件（图3-39）。

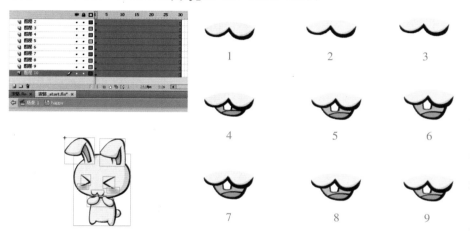

图3-38　分散各部分到图层

图3-39　happy_m逐帧动画

制作抬头动画。将兔子的耳朵、眼睛、脸上的红晕分别转化为图形元件，设置好各部分运动的轴心点，设置轴心点可以使我们创建更好更流畅的动画。在第1帧将兔子的动作设置为低头状态，在第5帧、第10帧插入关键帧，修改第10帧上兔子的动作为抬头状态，创建传统补间动画。兔子抬头动作中，耳朵作为附属物，有追随动画效果，在两个耳朵图层中，在第13帧、第20帧插入关键帧，调整兔子耳朵的旋转，并创建传统补间动画（图3-40）。

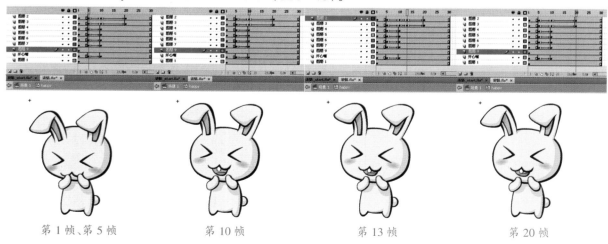

第1帧、第5帧　　　　第10帧　　　　第13帧　　　　第20帧

图3-40　抬头动作

《高等院校大学生素质教育系列丛书——动漫卷》

36

高兴表情制作完成,按回车键播放预览动画。

3. 制作伤心表情

选择左边的兔子角色,使用快捷键F8将其转化为图形元件,命名为sad。

双击sad进入元件编辑模式,在伤心表情中,我们制作兔子忍住眼泪的动画。

选择兔子眼睛,按删除键删除。重新绘制兔子的眼睛,为睁眼状态(图3-41)。

在时间轴的第30帧插入帧,设置一段动画时间。

图3-41 绘制兔子眼睛

制作眼睛动画。选择眼睛,将其转化为图形元件,命名为sad_eyes。双击sad_eyes进入元件编辑模式,将两只眼睛及其高光分散到图层,我们使用形状补间制作眼睛动画。

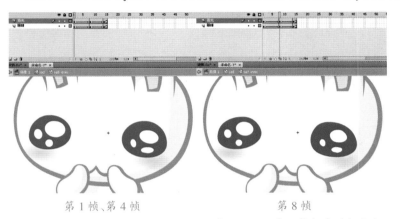

第1帧、第4帧　　　　　　　第8帧

图3-42 眼睛及高光的形变动画

在sad_eyes元件的时间轴中第15帧插入帧,设置一段动画时间。眼睛动画我们可以作为一个循环动画,在第8帧、第14帧插入关键帧,在第8帧修改眼睛的形状,创建形状补间动画(图3-42)。

制作眼泪动画。新建一个图层,我们在这个图层上制作眼泪的动画。首先绘制出眼泪的形状,眼泪也是循环动画,兔子的两只眼睛下都有眼泪,所以我们将其作为一个动画元件来重复使用(图3-43)。

选择绘制好的眼泪,将其转化为图形元件,命名为tears。双击tears进入元件编辑模式,使用逐帧动画技法制作眼泪动画(图3-44)。

双击空白处退出tears元件。将眼泪元件复制一个,放置在另一只眼睛下方。

图3-43 绘制眼泪

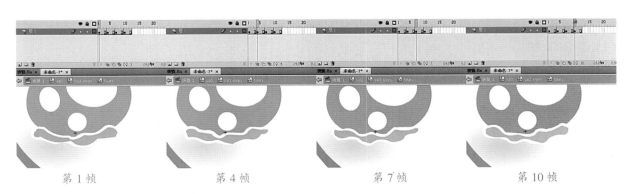

第1帧　　　　　第4帧　　　　　第7帧　　　　　第10帧

图3-44 眼泪逐帧动画

图3-45 圣诞场景

双击空白处退出sad元件。

4. 角色表情动画制作完成,按回车键播放预览动画,并保存文件。

6.2 实例:综合动画——圣诞节

1. 打开文件圣诞节_start.fla

舞台中有一个圣诞场景,在这个实例里,我们将制作圣诞树上的彩灯闪烁动画和下雪动画(图3-45)。

在时间轴的第100帧插入帧,设置一段动画时间。

2. 制作彩灯动画

我们只需制作红色、蓝色、黄色和绿色四种颜色的彩灯,将彩灯闪烁作为元件,就可以重复使用它们。使用椭圆工具绘制圣诞树上的彩灯,为每个彩灯绘制光晕,光晕颜色使用放射状渐变填充(图3-46)。

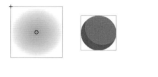

图3-46 绘制彩灯

选择红色的彩灯及其光晕,使用快捷键F8将其转化为图形元件,命名为彩灯闪1。双击彩灯闪1进入元件编辑模式,将彩灯和光晕分散到图层。在时间轴的第30帧插入帧,设置一段动画时间。在彩灯闪烁动画中,我们只需制作光晕闪烁的动画即可。选择光晕,将其转化为元件,命名为彩灯1_光芒,选择光晕图层,创建补间动画,在第15帧,设置彩灯1_光芒的Alpha透明度为0%,在第30帧,设置彩灯1_光芒的Alpha透明度为100%,使其形成循环动画(图3-47)。

回到场景1,播放预览动画。按照上面的步骤,将其他彩灯和星星闪烁动画制作完成。复制彩灯,修改其大小,放置到圣诞树合适的位置。

播放预览动画,发现彩灯同时闪烁,我们可以通过修改四种彩灯闪烁元件实例的循环的属性,使其从不同帧开始播放来改善动画效果(图3-48)。

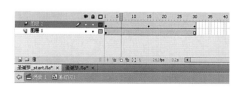

图3-47 制作彩灯闪烁动画

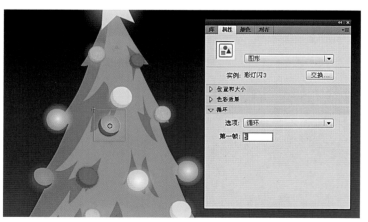

图3-48 修改彩灯元件的循环属性

3. 制作下雪动画

制作下雪动画，根据我们所知的运动规律，雪花运动的较慢，并且呈曲线运动，我们可以使用学过的引导动画来制作。下雪时，整个场景布满雪花，我们不可能为每个雪花制作动画，我们可以利用元件可重复使用的特性，将若干个雪花飘动作作为一个元件。

为了制作出景深效果，我们绘制三个大小不同、颜色深浅不同的雪花。在场景1中新建一个图层，使用椭圆工具绘制雪花（图3-49）。

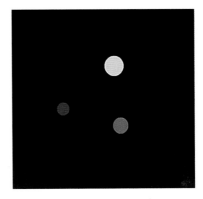

图3-49　绘制三个雪花

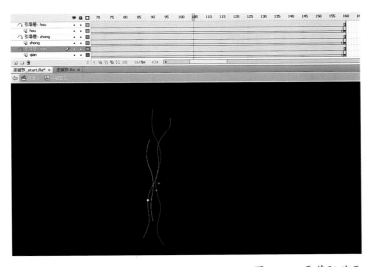

图3-50　雪花飘动画

创建传统补间（图3-50）。

退出元件编辑模式，在场景1的雪花图层中，复制一组雪花元件，并设置不同帧开始播放（图3-51）。

4. 圣诞节动画制作完成，按回车键播放预览动画，并保存文件。

选择三个雪花，使用快捷键F8将其转化为图形元件，命名为一组雪花。双击一组雪花进入元件编辑模式，将三个雪花分散到图层，并且转化为元件，命名名称。在第160帧插入帧，设置一段动画时间。

为三个雪花图层各添加一个运动引导层，在引导层上绘制三条曲线路径。

在第1帧将雪花吸附到路径上端，在第160帧插入关键帧，将雪花吸附到路径下端。在两个关键帧中

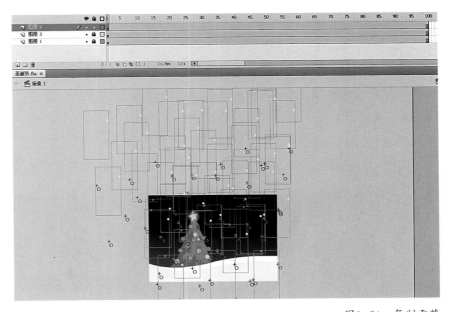

图3-51　复制雪花

第四讲　Flash短片制作与欣赏

现在我们通过"中国共产党党员领导干部廉洁从政若干准则"宣传动漫《清廉红盾话准则》来介绍Flash动画短片制作的全过程。

Flash动画短片创作流程分为前期、中期和后期三个阶段。前期工作为：创意构思、剧本、角色设定、场景设定、分镜头设计、前期音效；中期工作为动画制作、音乐音效；后期工作为合成输出。

第一节　剧本

剧本是一种文学形式，是戏剧艺术创作的文本基础，是表现故事情节的文学样式。

《清廉红盾话准则》剧本节选：

标题：面子（对应"中国共产党党员领导干部廉洁从政若干准则"第七条）。

情景：工商局办公室。

李总到欧阳局长办公室说：我们公司的营业执照办不下来，老同学啊，你给个面子，帮忙通融通融，我知道你喜欢字画，这幅名人字画你留下来欣赏欣赏。（画面右侧字幕出现：不准干预和插手批办各类行政许可等事项）

欧阳局长：你真有心，但东西我不能收，你还是逐条对照办照要求，抓紧落实相关事项吧。

欧阳局长戴红花拿着廉政典型证书走进办公室，大家上前祝贺说：欧阳局长，这次你不但自己有面子，全局都跟着你有面子。

字幕显示：大事小事秉公办事，大节小节廉字为节。

字幕：配音说出第七条禁止，字幕出五条文。

第二节　角色设定

负责设计动画中登场角色的造型。设计动画角色不但要让中期的动画制作人员知道要做动画的角色长什么样，还必须绘制出角色的不同着装图，角色表情图，还要绘制出同一角色的不同角度，即角色的转面图。

在Flash动画短片制作中，我们根据绘制好的角色草图，直接在Flash里绘制角色（图4-1）。

欧阳局长　　　　　李总　　　　　　欧阳局长同事

图4-1　角色设定图

第三节 场景设定

　　根据导演的意图绘制出动画中的场景。动画场景要符合角色所处的环境,具有时代特征和地域特征,为角色的活动提供较多动作支点,场景设定也是把握整个动画短片的美术风格、保证故事合理性和情景动作准确性的重要依据。场景的绘制必须依据分镜头画面,画出每个镜头中的具体场景。

　　在Flash动画短片制作中,我们根据绘制好的场景设定图,直接在Flash里绘制每个镜头的场景(图4-2)。

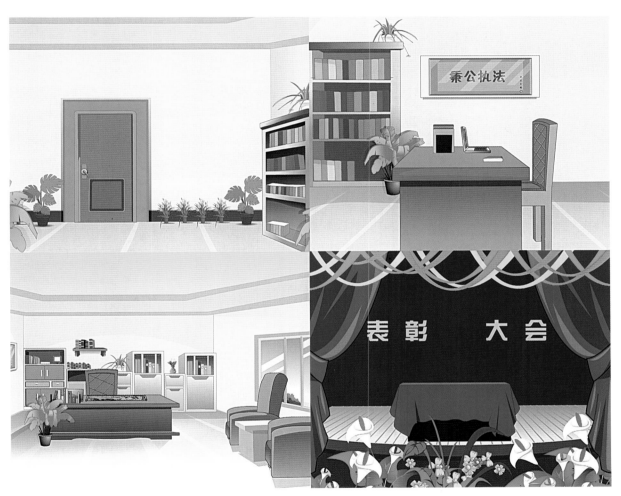

图4-2　场景

第四节 分镜设计

　　分镜,Storyboard,是指动画在绘制之前,以画面来说明每个镜头影像的构成,即把连续画面以单个镜头为单位进行分解,并且标注镜头运动的方式、镜头中角色的表情动作、时间、对白、音效、特效等等(图4-3~图4-7)。

镜号	画面	说明
01		李总向镜头前走来
		 李总说:老同学啊
02		李总走近欧阳局长办公桌 李总说:我们公司的营业执照办不下来
03 		
04		李总说:你能不能在承办人面前说一下

图4-3 分镜01

镜号	画面	说明
05		李总说:变通变通吧,我知道你喜欢字画
06	 李总将画递上前去	李总说:给你弄了一幅名人字画
07	 李总打开画轴	李总说:你看怎么样
 08	字幕淡入	字幕:不准干预和插手批办各类行政许可等事项
08	 欧阳局长赏画	

图4-4 分镜02

镜号	画面	说明
	 镜头跟随欧阳局长	欧阳局长说:老同学,你还是不了解我啊
09	欧阳局长卷起画轴	欧阳局长说:这画我是不会收的
10	欧阳局长将画轴递还给李总,李总伸手接住 镜头跟随	欧阳局长说:你还是按照要求去办理相关手续吧
11	转场特效	

图4-5　分镜03

F D H J F Y S X

镜号	画面	说明	
12		镜头推近	
13		欧阳局长举起荣誉证书	
13		转场 场景转到欧阳局长办公室	

14		同事们鼓掌	同事们说:欧阳局长,恭喜你 音效:鼓掌声

图4-6 分镜04

镜号	画面	说明
15	同事鼓掌	同事说:这次你给全局争足面子啦

图4-7　分镜05

第五节　动画制作

图4-8　导入分镜

从动画制作开始,我们进入动画短片的中期制作阶段。

短片动画片段制作步骤:

1. 打开模板文件,另存并命名

模板文件中已设置好动画的各项参数,舞台大小为720像素×576像素,帧频为25帧/秒。时间轴包含七个图层,分别为mask遮罩、safe安全框、音频、字幕、动画、场景和分镜。

导入配音到音频图层,导入分镜到分镜图层。

2. 制作动画

将角色和场景分别导入到对应的图层中,按分镜上的位置放置。选择角色,转化为元件制作动画(图4-8~图4-16)。

图4-9　李总走近并说话

图4-10　李总走近办公桌

图4-11　欧阳局长说话

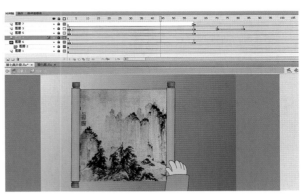

图4-12　李总打开画轴

图4-13　欧阳局长看画轴

图4-14　欧阳局长送还画轴

图4-15　欧阳局长笑

图4-16　欧阳局长同事说话

第六节　音效及合成

6.1 音效

从添加音效开始,我们进入动画短片的后期制作阶段。

音效是指由声音所制造的效果,是指为增进动画场面之真实感或气氛而添加的声音。

使用"文件"→"导入"→"导入到库"命令导入声音文件。在音效图层中插入关键帧,

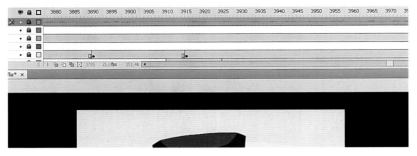

图4-17 添加声音文件

打开库面板,找到导入的声音文件,将其直接拖到场景中,声音文件添加成功,时间轴上可以看到音频线(图4-17)。

6.2 合成

由于制作动画是一个较大的工程,我们不可能将一个动画短片制作在一个Flash文件里。在上一步制作动画的时候,根据分镜头,我们将一段动画分为多个文件来制作,这时就需要把多个文件整合在一起。

打开模板文件,另存并命名All。

打开动画文件,选择时间轴上所有的帧,执行复制帧命令。在All文档的时间轴上执行粘贴帧命令。重复操作,把其他动画内容整合到All文档中。

第七节 作品的输出

当动画合成完成后,我们需要将制作的动画输出,以便能在电脑或电视上放映观看。

打开07_all.fla文件,使用菜单命令"文件"→"导出"→"导出影片",在对话框中设置导出的动画路径,在保存类型中选择"Windows AVI(*.avi)"格式,点击保存(图4-18)。

图4-18 导出影片

图4-19 设置参数

在导出Windows AVI浮动窗口中,设置尺寸为720像素×576像素,勾选"保持高宽比",设置视频格式为"32位彩色w/alpha",勾选"平滑"选项,设置声音格式为"44kHz 16位立体声",设置完成后点击确定按钮导出影片即可(图4-19)。

动画制作完成。